这是我的书
It's MY BOOK
6级：300字

# 了不起的大马哈鱼

作者：英　娃（Ying Wa）
插图：崔青源（Risa Cui）

北京语言大学出版社
BEIJING LANGUAGE AND CULTURE UNIVERSITY PRESS

PHOENIX TREE
PHOENIX TREE PUBLISHING INC.

识　读　鱼　吃　喝　老家
身体　跳

句　型　不……不……

字　数　290 字

qiū tiān dào le hǎi li de dà mǎ hǎ yú yào huí lǎo
秋天到了，海里的大马哈鱼要回老
jiā shēng bǎo bao le shàng lù qián tā men chī le hěn
家生宝宝了。上路前，它们吃了很
duō hěn duō dōng xi dù zi gǔ de xiàng gè yuán qiú
多很多东西，肚子鼓得像个圆球。

huí jiā de lù shang tā men bù chī bù hē yì xīn
回家的路上，它们不吃不喝，一心

yí yì de yóu a yóu xiàng dà yuán qiú de dù zi yě
一意地游啊游，像大圆球的肚子也

yì diǎn diǎn biàn xiǎo le
一点点变小了。

dà mǎ hǎ yú de lǎo jiā shì yì tiáo dà jiāng wèi le
大马哈鱼的老家是一条大江，为了
zǎo diǎnr dào jiā tā men yóu de fēi kuài bàn lù
早点儿到家，它们游得飞快。半路
shang tā men de shēn tǐ biàn chéng le huáng lǜ sè tā
上，它们的身体变成了黄绿色。它
men gāo xìng de shuō wǒ yào dāng mā ma le
们高兴地说：“我要当妈妈了！”

yí lù shang dà mǎ hǎ yú yào tiào guò gāo gāo de dà pù bù
一路上，大马哈鱼要跳过高高的大瀑布，
dàn tā men yì diǎnr yě bú hài pà tā men huì yóu de gèng kuài
但它们一点儿也不害怕。它们会游得更快，
yòng lì de pāi dǎ wěi ba gāo gāo de tiào qi lai yì huí tiào bu
用力地拍打尾巴，高高地跳起来。一回跳不
guò zài tiào yì huí jiù zhè yàng tā men huí dào le dà jiāng
过，再跳一回。就这样，它们回到了大江。

chī le zhè me duō kǔ dà mǎ hǎ yú huí dào le zì
吃了这么多苦，大马哈鱼回到了自
jǐ de lǎo jiā zhè shí tā men de shēn tǐ biàn chéng
己的老家。这时，它们的身体变成
le hóng sè
了红色。

zài dà jiāng li tā men zhǎo dào yí gè gān jìng de dì
在大江里，它们找到一个干净的地

fang dàng zuò bǎo bao de fáng jiān shēng xia le hǎo jǐ qiān
方当作宝宝的房间，生下了好几千

gè yú zǐ
个鱼子。

dāng le mā ma de dà mǎ hǎ yú hǎo kāi xīn tā men
当了妈妈的大马哈鱼好开心！它们
kàn zhe gāng shēng chu lai de yú zǐ bǎo bao xiǎng zhe hái
看着刚生出来的鱼子宝宝，想着孩
zi men huí dào dà hǎi hòu de kuài lè shēng huó
子们回到大海后的快乐生活……

1 秋天到了，海里的大马哈鱼要回老家生宝宝了。上路前，它们吃了很多很多东西，肚子鼓得像个圆球。

2 回家的路上，它们不吃不喝，一心一意地游啊游，像大圆球的肚子也一点点变小了。

3 大马哈鱼的老家是一条大江，为了早点儿到家，它们游得飞快。半路上，它们的身体变成了黄绿色。它们高兴地说："我要当妈妈了！"

4 一路上，大马哈鱼要跳过高高的大瀑布，但它们一点儿也不害怕。它们会游得更快，用力地拍打尾巴，高高地跳起来。一回跳不过，再跳一回。就这样，它们回到了大江。

5 吃了这么多苦，大马哈鱼回到了自己的老家。这时，它们的身体变成了红色。

6 在大江里，它们找到一个干净的地方当作宝宝的房间，生下了好几千个鱼子。

7 当了妈妈的大马哈鱼好开心！它们看着刚生出来的鱼子宝宝，想着孩子们回到大海后的快乐生活……

1
2
3
4
5
6
7
看图讲故事